WENNOL

Julia Donaldson

Martin Ursell

Trosiad gan Elin Meek

WEN

Cyhoeddwyd 2012 gan Wasg y Dref Wen,
28 Ffordd yr Eglwys, Yr Eglwys Newydd,
Caerdydd CF14 2EA, ffôn 029 20617860.
Cyhoeddwyd gyntaf yn y Deyrnas Unedig yn 2000
gan Egmont Children's Books Limited,
239 Kensington High Street, Llundain W8 6SA
dan y teitl *Follow the Swallow*

Argraffwyd a rhwymwyd yn Singapore.
Mae'r cyhoeddwr yn cydnabod
cefnogaeth ariannol Cyngor Llyfrau Cymru.

DILYNA'R WENNOL

Julia Donaldson
Martin Ursell
Trosiad gan Elin Meek

Bananas Glas

I Helen
J.D.

I Anne
M.U.

Roedd Merfyn yr aderyn du'n dysgu

hedfan.

A Deiniol y wennol.

Dyna sut cwrddon nhw.

‘Pwy wyt ti?’ gofynnodd Merfyn.

‘Deiniol ydw i. Gwennol ydw i.’

‘A beth wyt ti’n ei fwyta?’

‘Pryfed, yn bennaf,’ meddai

Deiniol. ‘A phwy wyt ti?’

‘Merfyn. Aderyn du ydw i.’

‘Rwyt ti’n edrych yn frown i mi,’ meddai Deiniol.

‘Efallai mai brown yw fy lliw i nawr ond ryw ddiwrnod fe fyddaf i’n ddu,’ meddai Merfyn.

‘Dwi ddim yn dy gredu di!’ meddai Deiniol.

Dangosodd Deiniol ei nyth i Merfyn.

Roedd mewn sied, ar hen silff oedd â gwe pry cop drosti.

'Fyddaf i ddim yn byw yma'n hir,' meddai.

'Ryw ddiwrnod fe fyddaf i'n hedfan i Affrica.'

'Dwi ddim yn dy gredu di!' meddai Merfyn.

Dangosodd Merfyn ei nyth yntau i Deiniol.

Roedd mewn coeden oedd yn llawn blodau gwyn.

'Ryw ddiwrnod fe fydd aeron coch blasus dros y goeden i gyd,' meddai Merfyn.

'Dwi ddim yn dy gredu di!' meddai Deiniol.

Roedd y dydd yn ymestyn ac yn cynhesu. Dechreuodd Deiniol dreulio amser gyda llawer o wenoliaid eraill. Roedden nhw'n crynhoi ar do'r sied ac yna'n hedfan i ffwrdd gyda'i gilydd.

‘Beth wyt ti’n ei wneud?’ gofynnodd Merfyn.

‘Dwi’n ymarfer hedfan i Affrica!’ meddai Deiniol.

‘Dwi ddim yn dy gredu di!’ meddai Merfyn.

Syrthiodd y blodau gwyn oddi ar goeden

Merfyn a daeth aeron bach gwyrdd i'r golwg.

'Fe fyddan nhw'n goch ryw ddiwrnod,'

meddai wrth Deiniol.

'Dwi ddim yn dy gredu di!'

meddai Deiniol.

Yn araf bach, tyfodd yr aeron ar y goeden a newid eu lliw, o wyrdd … yn felyn … ac yna'n goch o'r diwedd.

'Fe fydd Deiniol yn fy nghredu i nawr!' meddai Merfyn.

Hedfanodd i'r sied i ddweud wrth ei ffrind am yr aeron coch.

'Dere i 'nghoeden i!" galwodd.

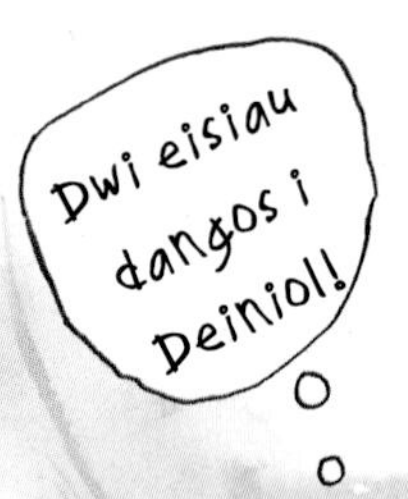

LETYS
PWMPEN
Ble mae e?
Mae dy ffrind wedi mynd.
Mwy o bryfed i ni!

Ond roedd Deiniol wedi mynd! Roedd e a'r gwenoliaid eraill newydd adael ar eu ffordd i Affrica.

Hedfanodd Merfyn ar ôl y gwenoliaid. Hedfan a hedfan tan iddo gyrraedd y môr. Yno, gwelodd ddolffin chwim.

‘Ei di â neges i Deiniol y wennol oddi wrth Merfyn yr aderyn du?’ gofynnodd Merfyn.

‘Mae e ar ei ffordd i Affrica.’

‘Beth yw’r neges?’ gofynnodd y dolffin.

‘Dere i ’nghoeden i!’ meddai Merfyn, a hedfan ’nôl i fwyta rhai o’r aeron coch blasus.

I ffwrdd â'r dolffin chwim gan nofio a neidio a phlymio.

Cymerodd hi amser maith iddo gyrraedd

Affrica. Yno, cwrddodd â chamel diflas.

‘Wnei di fynd â neges i Deiniol y wennol oddi wrth Merfyn yr aderyn du?’ gofynnodd y dolffin.

‘Beth yw’r neges?’ gofynnodd y camel.

‘Y … y … “Nofia ’da fi!”’ meddai’r dolffin.

Cerddodd y camel diflas yn araf ar draws

y diffeithwch …

Hyrym,
hyrym!

… nes cyrraedd afon fawr. Yno cwrddodd â chrocodeil barus.

'Wnei di fynd â neges i Deiniol y wennol oddi wrth Merfyn yr aderyn du?' gofynnodd y camel.

'Beth yw'r neges?' gofynnodd y crocodeil.

'Y … y… "Diflas fel fi!"' meddai'r camel.

Mae eisiau bwyd arna i.
Oes digon o le i bwdin?

Arswyd
Dacw
grocode
TOURS
Ha ... ha ... ha!
Twristiaid
blasus!

Cymerodd y crocodeil barus ei amser i

nofio a chnoi ei ffordd i lawr yr afon …

nes cyrraedd coedwig. Yno cwrddodd â mwnci direidus.

‘Wnei di fynd â neges i Deiniol y wennol oddi wrth Merfyn yr aderyn du?’ gofynnodd y crocodeil.

'Beth yw'r neges?' gofynnodd y mwnci.

'Y … y … "Blasus fel ti!"' meddai'r crocodeil.

Dyma'r mwnci direidus yn hongian o gangen i gangen nes dod at goeden ffigy …

Ar y llawr roedd llawer o ffigys wedi pydru.

Roedd llawer o bryfed ffrwythau yn bwydo

ar y ffigys pwdr, ac roedd llawer o wenoliaid

yn bwyta'r pryfed ffrwythau.

‘Mae gen i neges i Deiniol y wennol,’

meddai’r mwnci.

‘Fi yw hwnnw!’ meddai un o’r gwenoliaid.

‘Beth yw’r neges ac oddi wrth bwy mae

hi?’

'Oddi wrth Merfyn yr aderyn du mae hi a'r neges yw … y, y, "Un, dau, tri, wîîî!"' medd y mwnci.

Beth yw ystyr y neges?

‘Un, dau, tri, wîîî!’ medai Deiniol.

‘Dyna neges ryfedd! Wel, dwi yn Affrica ers chwe mis. Mae’n bryd i mi hedfan ’nôl i’r ardd. Fe gaf i wybod beth yw ystyr neges Merfyn.’

Hedfanodd Deiniol a'r gwenoliaid eraill

'nôl, dros y goedwig …

a'r diffeithwch …

Blasus fel ti...
Diflas fel fi!

... nes cyrraedd yr ardd. Hedfanodd Deiniol i goeden Merfyn. Roedd blodau gwyn drosti i gyd.

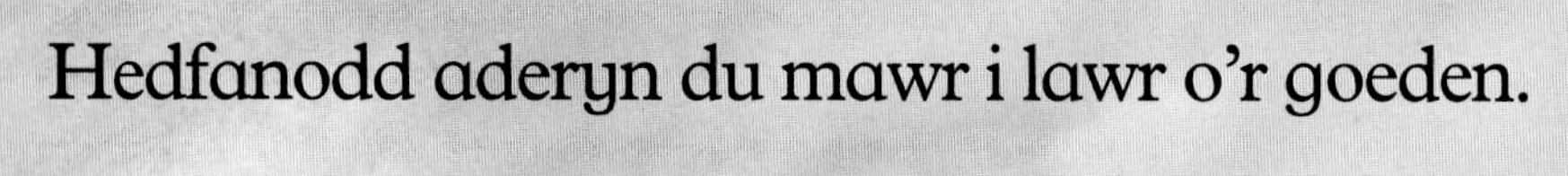

Hedfanodd aderyn du mawr i lawr o'r goeden.

'Dwi'n chwilio am Merfyn, fy ffrind,'

meddai Deiniol.

'Fi yw hwnnw!' meddai Merfyn.

'Dwi ddim yn dy gredu

di!' meddai Deiniol.

‘Rwyt ti’n ddu ac roedd Merfyn yn frown.’

‘Merfyn dwi i, yn siŵr i ti,’ meddai Merfyn. ‘Dere, mae gen i rywbeth i’w ddangos i ti.’

Hedfanodd i fyny at nyth yn y goeden.

Hedfanodd Deiniol ar ei ôl. Roedd aderyn brown yn eistedd yn y nyth.

'Mae'n bryd i ti gael egwyl mwydod, Myfi,' meddai Merfyn.

I ffwrdd â'r aderyn brown, ac yn y nyth

gwelodd Deiniol wyau gwyrddlas gwelw.

Cyfrodd nhw … 'un, dau, tri. Felly nid

"Un, dau, tri, wîîî!" oedd y neges, ond

"Un, dau, tri wy!' meddai.

‘Nage!’ meddai Merfyn. ‘“Dere i ’nghoeden i!” oedd hi.’

‘Wel, dwi wedi dod i’r goeden a dwi wedi gweld yr wyau, a dwi’n meddwl eu bod nhw’n hyfryd,’ meddai Deiniol.

'Ond nid neges am yr wyau oedd hi, neges am aeron coch oedd hi,' meddai Merfyn.

'Aeron coch! Aeron coch! Dwyt ti ddim yn dal i sôn amdanyn nhw, wyt ti?' Dechreuodd Deiniol chwerthin.

'Ond roedd aeron coch, wir i ti!' meddai Merfyn. 'Roedd rhai yno ac fe fydd rhai yno eto.'

Meddyliodd Deiniol yn ofalus.

'O'r gorau,' meddai, 'dwi'n dy gredu di.'

Welaist ti'r anifeiliaid hyn?
Estrys
Llewpard
Colobws
Cadno Ffenec
Ocapi
Cornylfin
Bongo
Jiráff
Hydd-afrewig
Rhinoseros Gwyn
Poto
Llewes
Cwdw
Sebra
Nico
Gafrewig Thompson
Gafrewig y gors
Mandril
Titw Tomos L
Mochyn daear
Gnŵ Brith
Eliffant Affrica
Bwch y Llwyni
Fwltur
Byfflo'r Penrhyn
Buwch Henffordd
Llinos wer